Ilustraciones: Marifé González

© SUSAETA EDICIONES, S.A.
C/ Campezo, 13 - 28022 Madrid
Tel.: 91 3009100 - Fax: 91 3009118
www.susaeta.com

Mi Primera Comunión

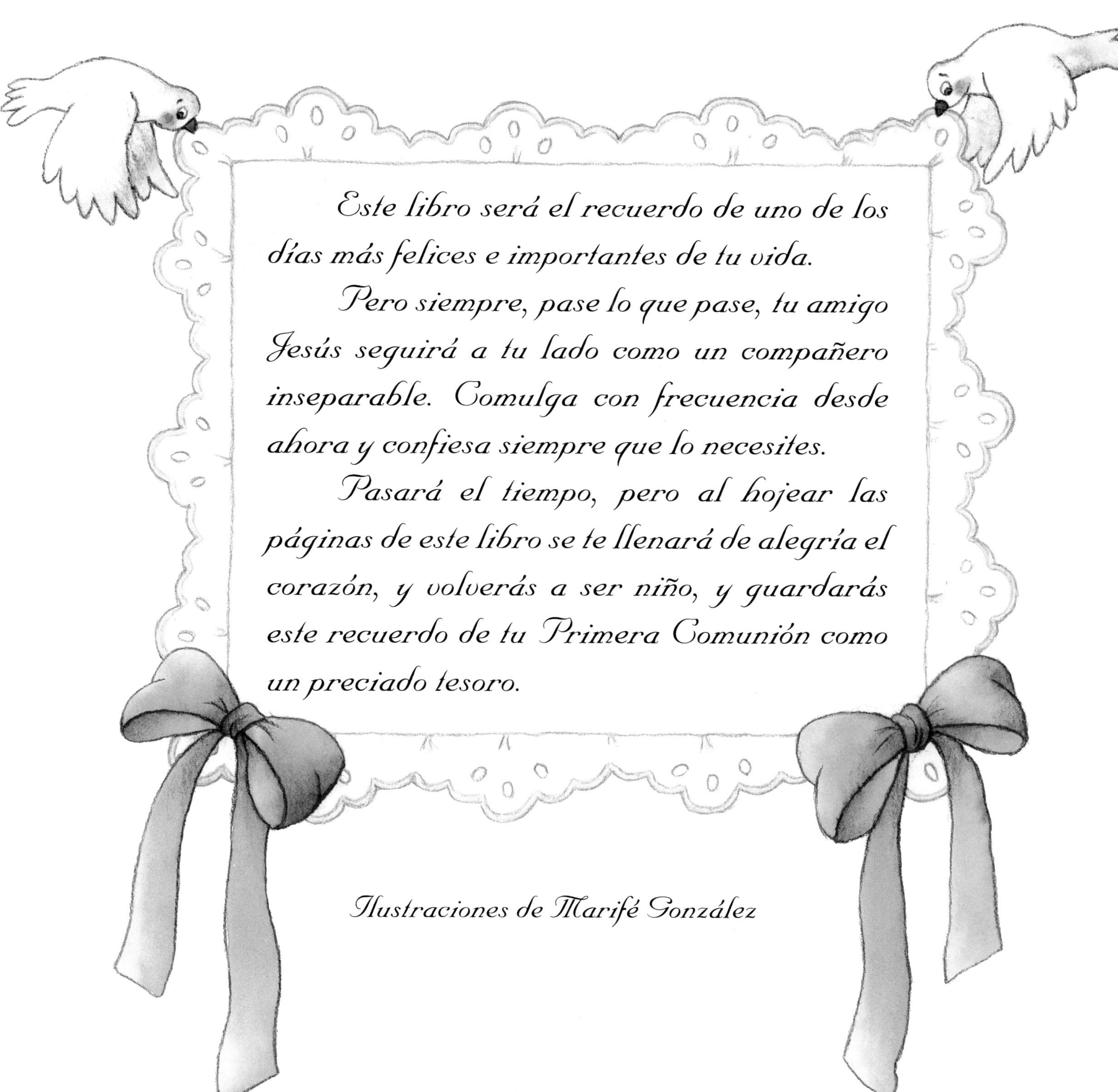

Este libro será el recuerdo de uno de los días más felices e importantes de tu vida.

Pero siempre, pase lo que pase, tu amigo Jesús seguirá a tu lado como un compañero inseparable. Comulga con frecuencia desde ahora y confiesa siempre que lo necesites.

Pasará el tiempo, pero al hojear las páginas de este libro se te llenará de alegría el corazón, y volverás a ser niño, y guardarás este recuerdo de tu Primera Comunión como un preciado tesoro.

Ilustraciones de Marifé González

susaeta

"Dejad que los niños
se acerquen a Mí,
pues de ellos es
el reino de los
cielos."

El día .... de ....

de .... en la Iglesia de ....

..

He recibido

La Primera Comunión

de manos de ....

Padre Nuestro,
que estás en el cielo,
santificado sea tu Nombre;
venga a nosotros tu reino;
hágase tu voluntad
en la tierra como en el cielo.
Danos hoy nuestro pan
de cada día;
perdona nuestras ofensas,
como también nosotros perdonamos
a los que nos ofenden;
no nos dejes caer en la tentación,
y líbranos del mal.
Amén.

Mis recordatorios

Espero que haya sido un día muy especial para ti. Este regalo ha sido con mucha ilusión y cariño.

Jesús sentado en la mesa con sus apóstoles, tomó pan, dio gracias, lo partió y dijo: "Esto es mi Cuerpo que será entregado por vosotros." De igual manera, tomando el cáliz, dijo: "Este es el cáliz de mi sangre."

Desde entonces, Jesús está realmente presente, con su cuerpo, sangre, alma y divinidad, en la Eucaristía.

Foto con mis amigos

Foto con mis amigos

Jesús dijo:
"Yo soy el Buen Pastor
y conozco mis ovejas,
y ellas me conocen a Mí."
Todos somos parte
del rebaño de Jesús,
y Él es nuestro Pastor.

Mi fotografía

Tu bendición me ilumine y
me acompañe siempre.
¡Gracias, señor, por
vivir en mi corazón!

Tomad y comed,
este es mi cuerpo.

Amigos que vinieron a la fiesta

Autógrafos de mis amigos

Autógrafos de mis amigos

Recordatorios recibidos

Jesús dijo a los apóstoles:
Si no os hacéis como niños,
no entraréis
en el Reino de los Cielos.

Reza a Jesús con fe y atención
y pídele cosas difíciles:
con la oración las conseguirás.

Mis propósitos

¡Oh, Jesús! en este día
de Paz y de Amor te prometo...

....

....

....

....

....

....

....

....

....

....

Fotografías de
la iglesia

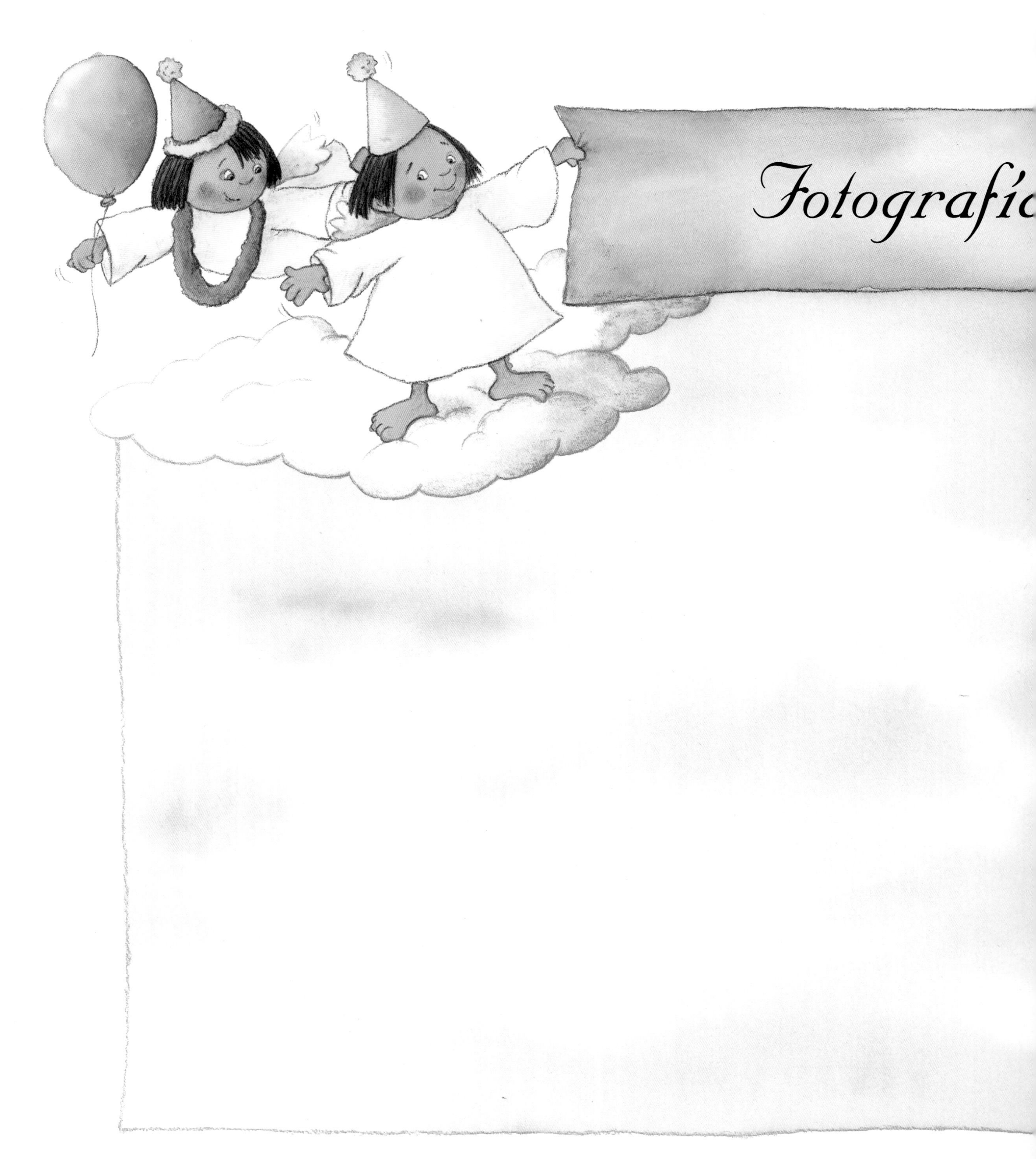
Fotografíc

n la fiesta

Regalos que recibí

Fotografías

Los buenos ejemplos, enseñanzas y consejos de las personas que nos rodean, son como una semilla que Jesús siembra en nuestro corazón. En esta Primera Comunión, Jesús sembró amor en tu corazón. La semilla que cae en el camino entre las piedras, no llega a dar frutos; en cambio, la que cae en buena tierra puede producir mucho fruto.

Jesús dijo:

*"Yo soy la luz del mundo:
el que me sigue no camina
en tinieblas, sino que tendrá
la Luz de la Vida."*